D1243879

info@lesmalins.ca

Éditeur : Marc-André Audet
Textes : Catherine Girard-Audet et Sophie Bédard
Dessins : Sophie Bédard
Colorisation : Ian Fortin
Correcteurs : Pierre-Yves Villeneuve / Chantale Genet
Conception graphique et montage : Shirley de Susini

Dépôt légal – Bibliothèque et Archives nationales du Québec, 2013
Dépôt légal – Bibliothèque et Archives Canada, 2013

ISBN : 978-2-89657-171-0

Imprimé en Chine.

Nous reconnaissons l'aide financière du gouvernement du Canada par l'entreprise du Fonds du livre du Canada pour nos activités d'édition.

Les éditions les Malins inc.
5967, rue de Bordeaux
Montréal, Québec
H2G 2R6

L'éditeur et les auteures remercient Eza Paventi pour son aide au scénario, Gabrielle Audet-Michaud pour la première lecture, et Antoine Audet-Michaud pour ses onomatopées.

T'as-tu peur?
Mets-en!

J'ai tellement révisé pour ce test d'admission là!
Imagine si je l'ai coulé pareil, et que je suis pas acceptée dans les performants!

J'ai vraiment pas envie de passer mon secondaire dans les réguliers.
Ça doit pas être si pire que ça!

Hum... Tu dis juste ça parce que t'es sûre d'avoir passé l'exam... T'es tellement bonne à l'école!
Ben non.
Toi aussi, t'es bonne...

Est-ce qu'on les ouvre en même temps?
OK.

À go!
Un... deux... trois...

GO!

WOUHOU!!!

J'suis acceptée!
J'suis acc...

...

Cat?

Snif.

J'ai été Refuséééééée!
Ouiiiiin!

On va pu se voir! On va pu se parler! Tout ça parce que je suis trop poche!!!

Ça va être pareil comme avant, voyons donc!
On va être dans la même école, juste pas dans le même programme.

Oui, mais on a toujours été dans la même classe depuis la maternelle!

J'pensais que ça allait être la même chose pour le secondaire.
Mais là, on va toujours être séparées...

Tu vas te faire des amies plus intelligentes que moi...
pis tu vas me remplacer!

Bouhou houuuuuu hou!
Cat...

Catherine, écoute-moi...
Mhu?

Je te promets qu'on va rester des meilleures amies.

Même si on est pas dans la même classe et qu'on se voit moins...

...je pourrai jamais te remplacer.

...
Sérieux ?

Sais-tu ce qu'on pourrait faire ?
Quoi ?

Quand elle a fini son secondaire, ma mère a fait le tour de l'Europe avec sa meilleure amie.

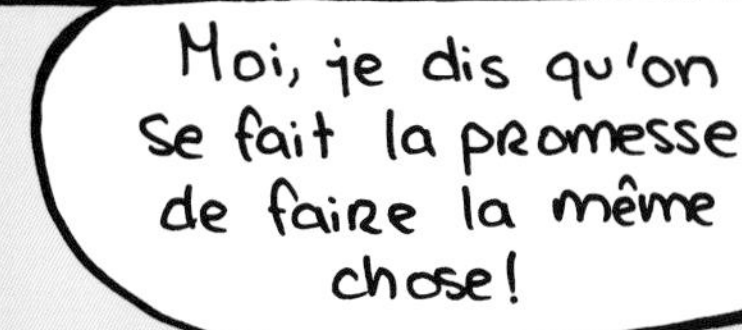
Moi, je dis qu'on se fait la promesse de faire la même chose !

Le tour de l'Europe ?
Ouais !

Juste toi et moi !

Comme ça, on n'a pas le choix de rester les meilleures amies du monde !
Wah !

Donc c'est promis ?
Promis !

Quatre ans plus tard...
Mh-mmh ♫
Mhh ♩
Et voilà !
Prête pour une
nouvelle année !
POLYVALENTE
ST-JEAN

Wouhou! Catherine!

Annie! Allô!!!

Ça va?
Oui, toi?

Pas trop stressée par la rentrée?
Un peu!
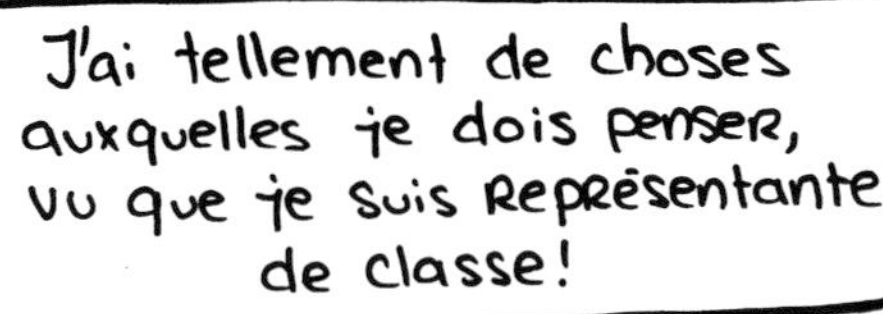
J'ai tellement de choses auxquelles je dois penser, vu que je suis représentante de classe!

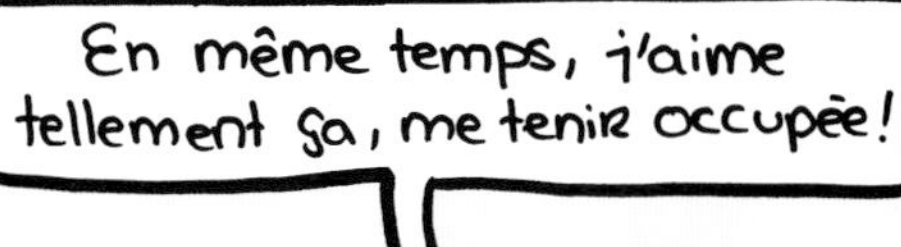
En même temps, j'aime tellement ça, me tenir occupée!

Puis, être déléguée, ça me donne l'impression d'être vraiment utile... D'aider mon prochain.

AH!
Parlant d'aider son prochain, tu sais pas quoi?

Non?...
Je vais accueillir une étudiante étrangère.

Elle vient d'Allemagne et elle va passer l'année au Québec pour un échange étudiant!
Hein! Malade.
Je sais!

Qui sait, peut-être qu'elle va pouvoir nous accueillir chez elle pendant notre voyage en Europe?
Ça serait cool!

C'est pour ça qu'il faut que je m'assure que son séjour ici soit le plus agréable possible.
Oui, mais... Fais-en pas trop, hein!

Heille, y faut que je te laisse! Je dois aller rejoindre Nicolas à l'auditorium pour le speech de la rentrée!

Quoiii? C'est encore Nicolas le représentant des performants??
Haha! Ben oui!
T'avais juste à être dans les réguliers si tu voulais avoir la déléguée la plus hot: MOI!

Bye, là!
Sois pas en retard, le speech commence dans vingt minutes!!!

Hé, Annie!
Ah, Sam! Salut.

T'as passé des belles vacances?
Pas pire, toi?

Ouais, c'était bien. Je suis allé dans un camp d'été spécialisé en basketball.
Cool.

Et toi? Qu'est-ce que t'as fait de bon?
Ohiii Rien de particulier.

Je suis allée au cinéma, à la piscine... Ce genre de choses...
Ah, ouais.

Euh, Annie?
Oui?
Je sais que c'est un peu tôt pour demander ça, mais...

Le prof de math m'avait averti, l'an passé, que si je voulais passer le cours de cette année, j'allais avoir besoin d'un tuteur...

Et comme t'es bonne, je me demandais si...
Bien sûr!

Ça me ferait plaisir.
Yes!

C'est tous les jeudis soirs, à la bibliothèque.
OH MY GOD!

C'est qui, LUI?!
Hein? Qui?

Le gars super beau avec la casquette, là!!

Heu... Je sais pas...
Y doit être nouveau?!

Hiiiiiiiiiiii!

Chuuut
chut!
Chhh

Bonjour, les Secondaires 4 ! Ça va bien ?!

Good! Alors pour commencer, je tiens à dire que je suis très content de représenter la section performante de notre cohorte...

...ainsi que de travailler avec la charmante Catherine, qui est en charge des réguliers.

Nicolas a un kick sur Catheriiiiiiiiine!

Ha ha ha a ha ha ha ha ha ha ha ha ha ha ha ha ha ha ha ha ha ha ha ha
Ta yeule, Sam!

Bon... Restons sérieux...
Ben quoi!

Tout le monde le sait que tu la trouves cute, sois pas gêné, mon Nico!
Sam! Laisse-moi faire mon speech, sinon j'te fais sortir de l'auditorium!

Rôôôôôh, pfffff!

Alors... Je vais vous dire la liste des comités de cette année...
Oh shit! Nico bande!

Ha ha ha ha ha ha ha ha ha ha ha ha ha ha ha ha ha ha ha

Belle performance que t'as faite ce matin, Sam...
Héhé! Merci.

On peut dire que tu fais tout pour bien commencer l'année.

Bah! Si je peux aider ce cher Nicolas à se déniaiser un peu...
Regarde qui parle! Monsieur timide en personne!

Tu ris de lui, mais toi, t'es pas foutu d'approcher la fille que t'aimes depuis que t'es tout petit!

Ah c'est chien, ça!
C'est pas chien, c'est vrai!

C'est pas comme si j'essayais pas! Le problème, c'est qu'elle a pas l'air de me remarquer pantoute.
Hun hun.

C'est vrai! Elle tripe juste sur des gars pas rapport, pis moi, je passe dans le beurre.
Pauvre toiiii!
Arrête de te foutre de ma gueule, Sarah!
Je fais de mon mieux!
Haha, pardon!
Changeons de sujet. C'est moi, la capitaine de l'équipe de basket cette année. Va falloir que je trouve des nouvelles recrues bientôt.
Est-ce que je peux compter sur toi pour m'aider? Ça serait jeudi soir.
Ouais c'est sûr!
Y a genre trois joueurs qui nous quittent cette année, donc...
Annie!
Salut, Sam! Salut, Sarah! Quoi de neuf?
Bah, on parle de basketball, comme d'hab...
Heille, j'pense à ça... Est-ce que ça te tenterait de devenir notre cheerleader?
Haha! T'es ben niaiseux!
Bye, là!
Bye!
Ciao.
Ayoye, beau move.
Chut.

Allô! Est-ce que je peux m'asseoir ici?

Heum, est-ce que t'es nouveau? Me semble que c'est la première fois que je te vois.
Ouin.

Pis... C'est quoi ton nom?
Ké-vun.

Kévin quoi?
Non, pas Kévin: Ké-vun.
Ah?...

C't'un beau nom...
Annie!

Cat! Bravo pour ton speech!
Hein? Ah, ouin. Merci.

Si ton ami cave avait pas été là avec ses commentaires niaiseux, ça aurait mieux été. Mais bon...
J'ai jamais compris pourquoi tu te tenais avec lui.

Ben, c'est comme toi : je le connais depuis super longtemps. C'est comme mon petit frère ! Il est pas super mature, mais il est pas méchant.
Touka.

Regarde ça !
Euh, c'est quoi ?

Un scrapbook.

Je l'ai déjà rempli avec toutes les idées de projets que je veux faire cette année en tant que représentante.

C'est tellement excitant ! J'ai juste hâte de pouvoir montrer mes propositions à la direction !
T'en fais trop...

Ben non, ben non.
J'ai Nicolas pour m'aider.

Parlant du loup...
Nicolas !

Regarde ce que j'ai préparé !
J'étais tellement motivée, j'ai pas pu m'en empêcher.

Je vois ! Super !

Qu'est-ce que tu dirais qu'on aille se monter un plan d'attaque tout de suite ?
OH OUI !

À plus tard !

...

Bâille.
M'man? Marie-Soleil est pas encore levée?
Elle est partie plus tôt, mon chéri.
Ta Soeur a dit qu'elle allait encore manifester devant l'école, ce matin.
Glups.
À bas les pesticides, mangez bio!
Le bio, c'est mieux pour les ADOS
Non à la nourriture empoisonnée dans notre cafétéria!!
Arrête ça, Marie-Soleil.
Non! J'ai droit à la liberté d'expression!!!

Tout le monde rit de toi, là !
J'ai pas honte de mes opinions, monsieur !

Peut-être, mais moi, j'ai honte de TOI !
Pas mon problème !

So ! So ! So ! Solidarité !
Le bio, c'est mieux pour les ADOS

?

Hêêêê !

Haaaaaa!

?
Spécialité allemande ! Venez goûter !!!

Qu'est-ce qui se passe ici ?
Oh, Annie!

Je te présente Gretchen, mon étudiante étrangère.
Ja.

Je voulais trouver un moyen de l'intégrer dès sa première journée, alors je lui ai demandé de cuisiner une pâtisserie traditionnelle allemande.

Tu veux goûter?
Avec plaisir!

Beuuuh...
Je dois...

VOMIR!

...
Ja?

?

Beuh...
Qu'est-ce qui se passe avec Annie?

Hum... Je pense qu'elle apprécie pas la cuisine de Gretchen.

T'en veux ? C'est fait avec amour !
Si c'est pour me donner un teint vert, je vais passer mon tour.

C'est qui Gretchen ?
C'est elle.

Ja.

Et tu fais de la pâtisserie ?
Ja.

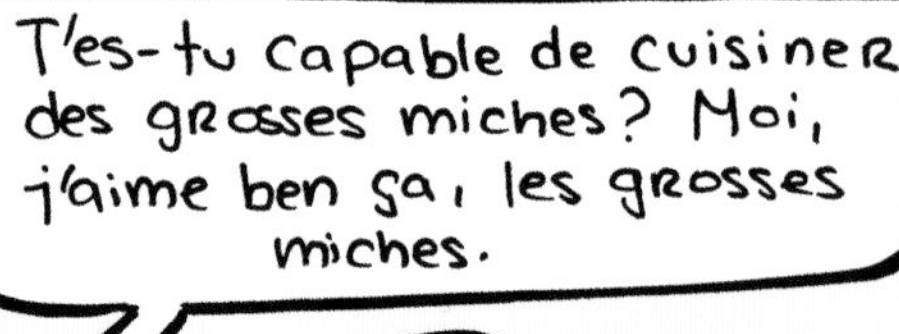
T'es-tu capable de cuisiner des grosses miches ? Moi, j'aime ben ça, les grosses miches.

Ja.
SAM!

Huhuhu.

Aïiïe.

Arrête de dire des niaiseries pis pose donc ta soeur par terre.
Ah shit.

Dictateur !
Elle faisait encore une manif devant l'école.
Ah.

Ah! Sarah, ça tombe bien que tu sois là. Je voulais savoir comment ça allait pour trouver des nouvelles recrues pour le basketball ?

T'as-tu besoin d'aide pour organiser ça?
Euh, non merci.

Parce que tu sais que tu peux te fier sur moi si t'as de la misère, hein? Je suis ta représentante, après tout.
Hun hun.

Surtout n'hésite pas!
Ouais.

Maudit qu'elle m'énerve, «madame parfaite».
Ouais, moi aussi.

Je comprends pas comment ça se fait qu'elle et Annie soient meilleures amies.
Bah, tu sais, Annie m'énerve aussi.

Hein?! Comment ça?!
Elle est trop «fille».

Pfff... En même temps, tu dois détester la moitié de la polyvalente si c'est tout ce qu'il te faut.
Haha!
Ouais.

Bon.

J'ai reçu le budget du comité étudiant pour cette année.

Et j'ai pensé que ce serait une bonne idée d'investir dans du nouveau matériel informatique.

Nous avons les mêmes vieux ordis depuis des années.

Je pense que la direction ne va avoir aucun problème à approuver ce projet.

Oui, mais les performants vont jamais vouloir investir uniquement dans nos ordis à nous.

Et eux, ils ont déjà de bons ordinateurs...
Ne vous inquiétez pas.

J'ai déjà convaincu Nicolas, et il va tout faire pour qu'on ait un appui majoritaire.

Je propose qu'on utilise le budget pour faire un gros PARTY D'HALLOWEEN !

Avec plein de décorations partout dans l'école !

Ça vous tente ?!!
Ouais!!

Tu as QUOI?!
Comité étudiant

Je croyais qu'on s'était entendus pour les ordis?!
Catherine, écoute...

UN PARTY?! Tu veux qu'on utilise le budget pour faire un PARTY?
Euh...

C'était juste une idée comme ça... Et puis, tu sais, on peut faire voter les élèves pour qu'ils décident quelle idée ils préfèrent.

Ben oui, toi! Allô?! Ils vont tous voter pour la tienne, c'est sûr!!!
Mais non, mais non.

Je pensais que tu prenais ton rôle à coeur, comme moi!
On s'entend que les performants vont pas triper si tout le budget va aux réguliers.

Mais les réguliers en ont besoin! Alors qu'un party c'est futile!
Bah... Tout le monde a besoin de décompresser.

T'es vraiment cave.

Mais!...

Cat?

Qu'est-ce qui se passe?
Y se passe que Nicolas c't'un twit!

Il est en train de détruire mon plan d'année! Bouhouhou!

Je pense que tu prends ça trop au sérieux...
Y veut organiser une fête!...

Je veux investir dans du matériel et lui veut faire une fête pour l'Halloween!
Bah! Ça peut être le fun.

Le fun?! C'est de l'argent jeté par les fenêtres!

Bouhouhou!

Bon, euh... Je dois te laisser, là. J'ai rendez-vous avec Sam à la biblio.

C'est ça, abandonne-moi, toi aussi.
Hen boy.

On s'appelle ce soir, OK?
Beuh.

Désolée.

Je suis un peu en retard.
Oh, c'est pas grave.

Alors, par quoi on commence?
Euh... Par ça?

D'accord, laisse-moi voir...

Alors ici il faut...
OK.
Et là...
Ah.

Pfff, chokeur.

OK, tout le monde! On commence!

Montrez-moi c'que vous avez dans le ventre! Je prends pas n'importe qui dans mon équipe!
Oui, madame!

Le lendemain.

Hé, Sam.
Hé!

Dis-moi, t'aurais pas oublié quelque chose, par hasard?

Le recrutement pour l'équipe de basket! C'était hier!
Ah! Shit!

Excuse-moi! Ça m'était passé par-dessus la tête.

J'étais avec Annie... Je lui avais demandé de m'aider en math...
Tssss.

Tu commences à me gosser avec ta Annie, là...

Quand je pense que la seule raison pour laquelle t'es dans les performants, c'est pour être avec elle!

Tu rush dans tous tes cours pis tu coules le 3/4 des examens.
Hey, WO!

Je sais que je t'ai choké, mais c'est pas une raison pour me faire chier, OK?!

Tu sais quoi?
Quoi?

J'vais te donner un ultimatum.

Dis à Annie que tu l'aimes...
!!!

...sinon je lui dis moi-même.

Pourquoi tu fais ça?! T'es pas correcte!
Ben comme ça, ça va être une bonne chose de réglée.

Et peut-être même qu'après tu vas de nouveau être capable de te concentrer sur le basket?!

Ça fait un an que t'es le plus poche de l'équipe!

Pis hier, tu m'as prouvé une fois pour toutes que tu servais pu à grand chose.

Alors, si je peux pu me fier sur toi, pourquoi j'te garderais dans l'équipe?

Donc oublie pas. Fais-le, sinon je le fais à ta place.

Ah pis aussi : t'es mieux de te pointer à l'entraînement de lundi. Bye!

57... 58...

59... 60... 61...
Ça fait donc 61 votes pour le party d'Halloween.

Contre 3 pour les nouveaux ordis.

Catherine, ça va aller?...
Toi, parle-moi pas!!!

Tu me déçois tellement, Nicolas!

Je pensais qu'on avait la même vision de l'année scolaire, toi et moi.

Pis là, tu viens tout gâcher avec ta maudite fête épaisse!

T'es juste un traître!
Viens Gretchen, on s'en va.

Cat, attends!

J'ai... j'ai voté pour ton idée!

Fuuuuuuuuck.

Bouhouhou
Snif!

Bouhouhou!

Catherine?
...

Ça va aller?
NON!

Nicolas se sent coupable, tu sais...
M'en fous!

Il a fait une petite erreur, mais il tient beaucoup à toi, tu sais.
C'est ça! Défends-le!
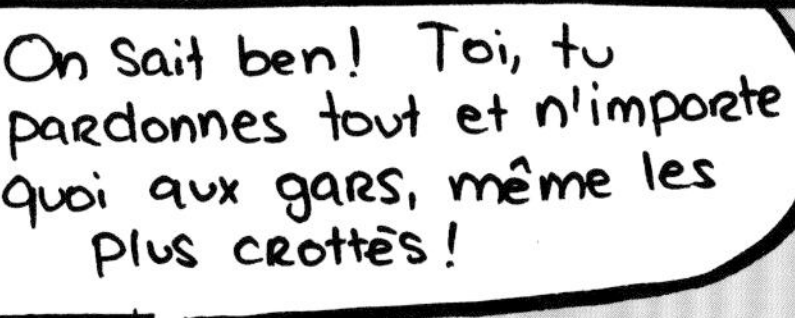
On sait ben! Toi, tu pardonnes tout et n'importe quoi aux gars, même les plus crottés!

Heille, c'est pas vrai, ça!

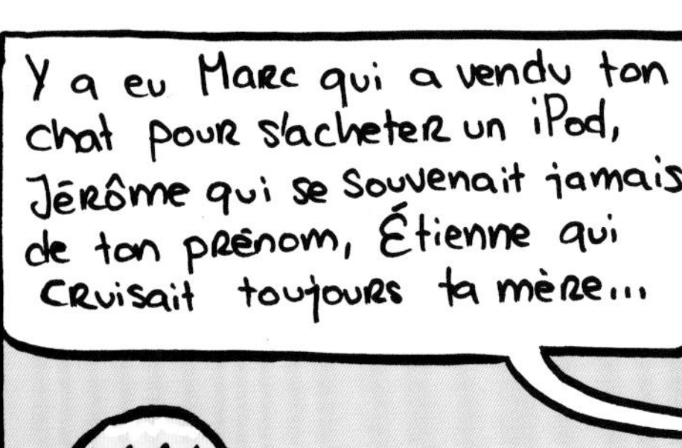
Y a eu Marc qui a vendu ton chat pour s'acheter un iPod, Jérôme qui se souvenait jamais de ton prénom, Étienne qui cruisait toujours ta mère...

Pis t'arrêtais pas de leur trouver des excuses, jusqu'à ce que EUX cassent avec toi.

OK, mais...
Pis ton Kë-vun, yé pas ben mieux.

WO! Non. Kë-vun est différent.

Quoi? C'est vrai.

Tu lui as parlé maximum deux fois. Pis je l'ai déjà vu taxer des secondaires 1.

... Whatever, là.

C'est pas de Kë-vun qu'on parle, là, c'est de Nicolas!

Écoute: ça va te faire du bien, un party. Tu vas pouvoir décompresser un peu.

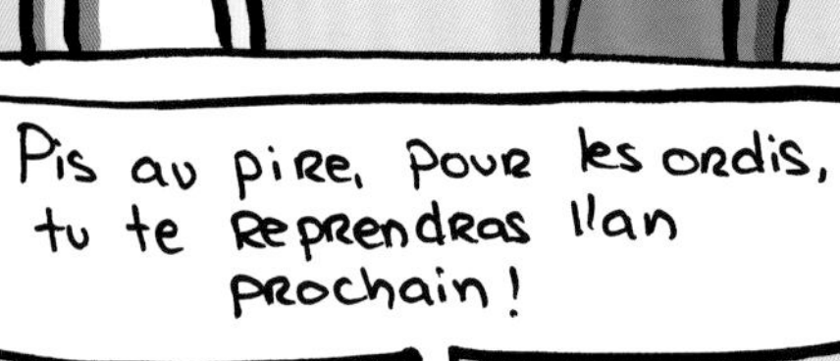
Pis au pire, pour les ordis, tu te reprendras l'an prochain!

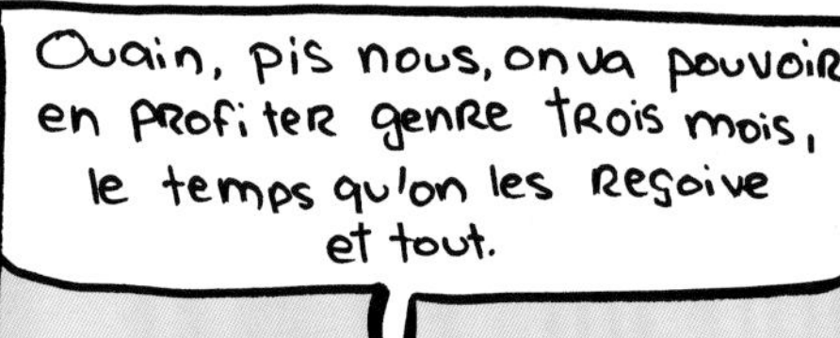
Ouain, pis nous, on va pouvoir en profiter genre trois mois, le temps qu'on les reçoive et tout.

Heu... Oui, mais pense aux générations futures!

Allez, viens!
AH!
Tu dois faire l'annonce à l'auditorium!!!

Alors...

Vous vous êtes tous réunis ici pour connaître le résultat du vote.

Je vous annonce donc que vous avez voté en grande majorité pour faire un gigantesque party d'Halloween!

WOUHOU!!

Maintenant, j'aimerais savoir qui serait intéressé à s'occuper de l'organisation.

Ah! Juste avant je tiens à avertir Ké-vun qu'il doit des heures de bénévolats à l'école suite à euh... certains de ses agissements.

Donc, il doit obligatoirement faire partie du comité d'organisation.
Fuck off.

D'autres volontaires?

Annie? Très bien.

Ensuite?

Sam? OK.

Personne d'autre? Parfait, vous pouvez regagner vos classes.

Toi? Volontaire? N'importe quoi.
Pour être avec Annie, patate.

Cat!
Hm?

Je suis désolé. Est-ce que tu me pardonnes?
...

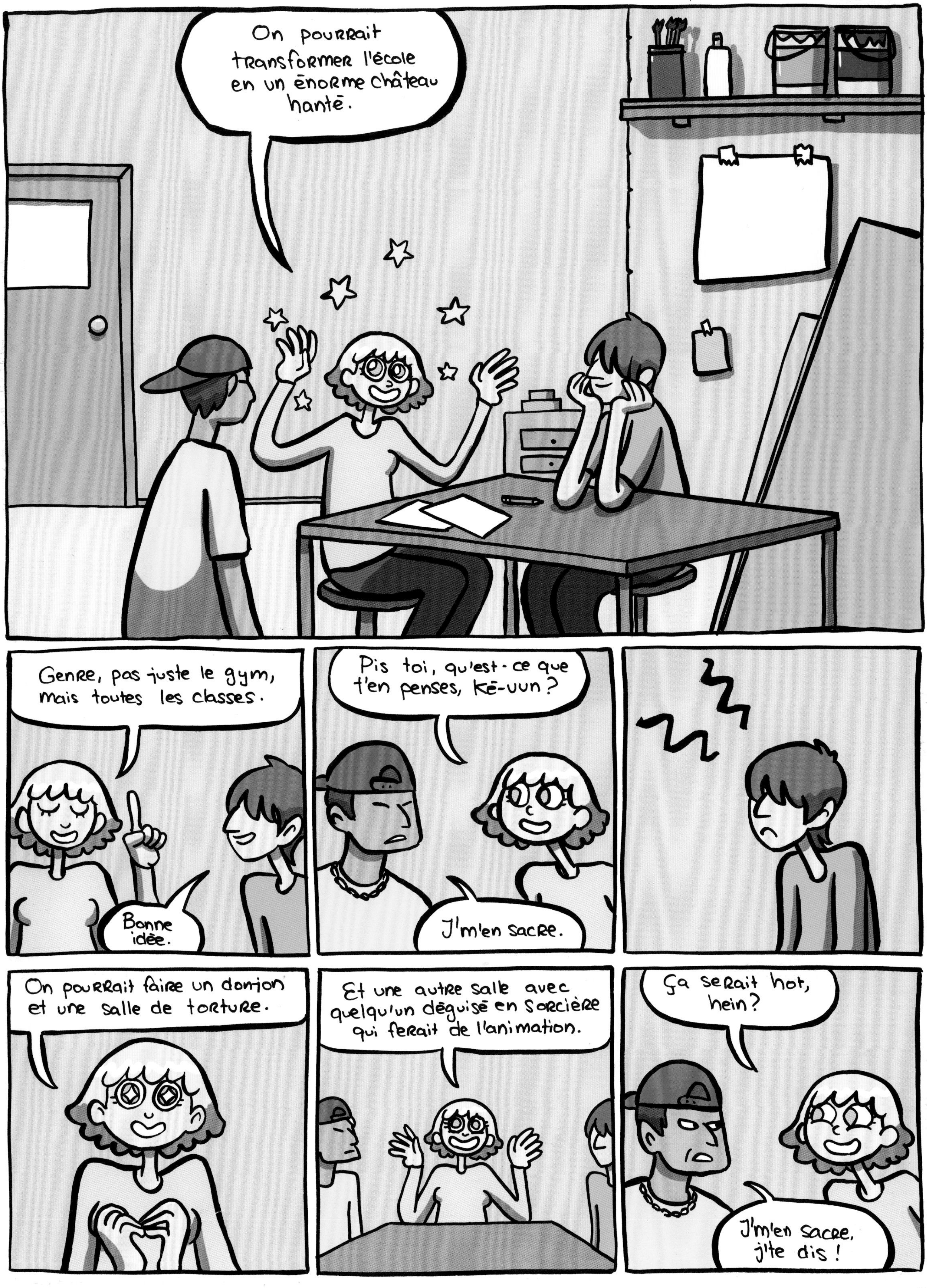

On pourrait transformer l'école en un énorme château hanté.

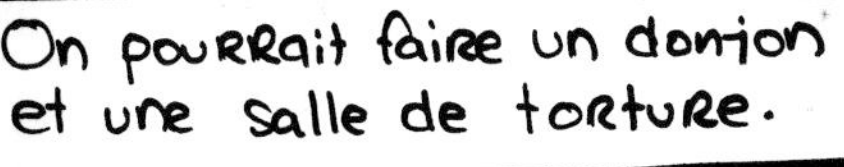

Heille! T'arrêtes-tu d'être bête de même avec elle?!
Heu, Sam, c'est pas grave.
Elle essaie d'être sympathique avec toi, maudit cave!
Qu'est-ce que t'as dit?
Euh.
Rien.
C'est ce que je me disais.
T'es-tu fou?! Tu l'as insulté!
Ben quoi, tu voulais que je le laisse te parler comme ça?!
Fuck, Sam! Tout le monde sait que si un gars est bête avec une fille, c'est qu'il a un kick dessus.
Pour une fois qu'il me montre de l'intérêt, tu gâches tout!

Bon. Je vais essayer d'aller réparer les pots cassés.

Tu peux rester ici et euh... continuer les banderoles, tiens.
Mais...

Kē-vuuuuun, atteeeends !!

Kē-vuuuuuuun !
?

Sois pas fâché, s'il te plaît !!!

Attends-moiiiii !

Alors? Ça avance, les « rapprochements » avec la belle Annie ?
Ah, ta yeule.

HA HA HA HA !
J'en reviens pas qu'elle t'ait dit ça !

Pis tu t'es tellement laissé faire...
T'es ben loser !

Tu peux-tu être plus bitch, s'il te plaît ?
Ouais !

Heille, fais-toi en pas avec ça, sérieux. C'est pas grave.

Concentre-toi plutôt sur le match d'aujourd'hui, ok ?
Pffff !

SAM ! PASSE !

Glups.
73

SAAAAM! FOCUUUUS!
44

LOC. VISIT.
24 81

Vainqueurs: les Tigres!
Arghhh!
85
44
13
23
73

Toi! Viens me voir, deux secondes...

Ça va faire le niaisage!
Excuse-moi, Sarah! C'est que... j'arrêtais pas de penser à ce qui s'est passé avec Annie.
ANNIE!
Tu m'énarves avec ta Annie, là! Décroche, mon grand!

T'es mieux de m'écouter, maintenant, OK?

Tu vas lui faire ta «déclaration» au party d'Halloween, compris?
Hein?!

Non!! C'est trop tôt!
Fuck off!

Je suis tannée de te voir de même.

Donc tu règles ça le 31 octobre, ou sinon tu risques de le regretter, capisce?!

Tu sais, je pense que j'ai une chance avec Kê-vun.
Ah bon?

Oui, l'autre jour, quand je l'ai salué...

il m'a donné une tape sur les fesses.
Kin.
Oh!

Je pense que ça veut juste dire que c'est un gros sans-dessein.
Arrête de l'insulter!

Il est tellement sweet... Il pourrait quasiment nous accompagner dans notre tour de l'Europe...
QUOI?!

Qu'est-ce que tu viens de dire?
Hum?
Rien...

Je vous rappelle que la fête est la semaine prochaine.

Vous allez pouvoir arriver vers 19h, à l'entrée principale.

N'oubliez pas votre costume...

Et que cette soirée soit une réussite !

«Annie... Je...»

«Est-ce que tu voudrais...?»
Argh!

ANNIE, JE T'AIME!!

NOOOON! Je peux pas lui dire comme ça!!!

Je pourrais... lui écrire un poème.
Ça serait romantique.

Sarah!

Peux-tu lire ça et me dire ce que t'en penses?
C'est quoi?

Un truc pour Annie. Moque-toi pas, s'il te plaît.
«Annie, Annie. Je pense à toi quand je suis dans mon lit.»

«Veux-tu qu'on soit plus qu'amis? Je t'en prie, dis-moi oui.»
T'es pas sérieux?
Quoi? C'est pas bon?

Si tu veux être sûr qu'elle t'adresse plus jamais la parole, c'est parfait, Sam!
Mais!..

Ça a été super dur à écrire!

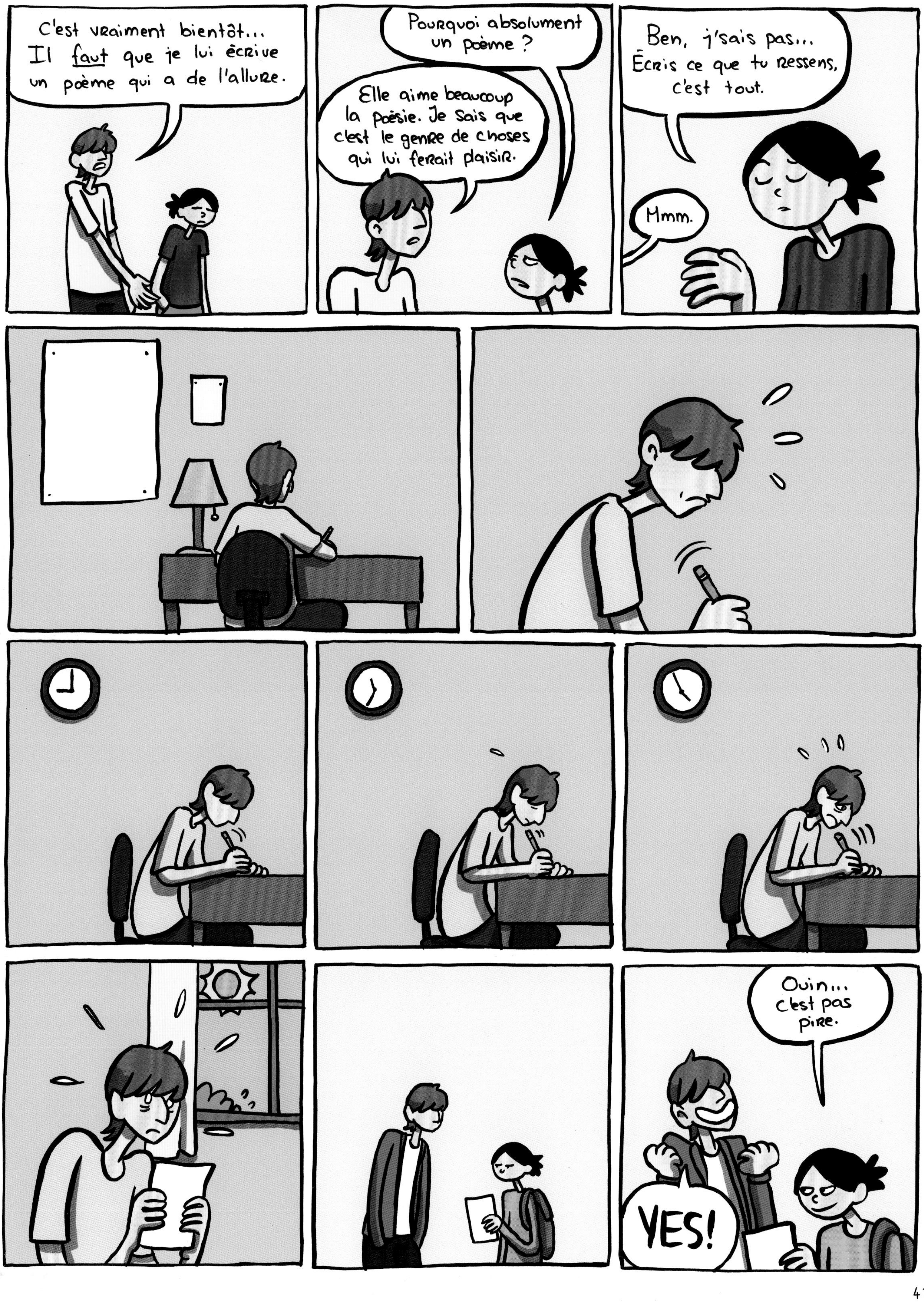

C'est vraiment bientôt... Il faut que je lui écrive un poème qui a de l'allure.

Pourquoi absolument un poème ?

Elle aime beaucoup la poésie. Je sais que c'est le genre de choses qui lui ferait plaisir.

Soupir.

Je trouve toujours que c'est une idée niaiseuse.
Hum hum.

La seule raison pour laquelle j'y vais, c'est à cause de mon rôle de représentante.

C'est mon devoir d'être présente lors de tous les rassemblements étudiants!

Aussi futiles soient-ils.

Arrête donc de chialer! Regarde-toi : t'es super cute, déguisée en ange.
Ja.

Même Gretchen est d'accord.
Ja.

Pfff.

Allez, un peu d'entrain. Ça va être une belle soirée pis on va avoir beaucoup de fun!

Tu vas même pouvoir en profiter pour faire la paix avec Nicolas.
NON!

Va falloir que t'en reviennes, à un moment donné.

Voilà! Dis, comment tu trouves mon costume?

Heu.

Je vais essayer de séduire Kë-vun, ce soir.
Ah, t'es pas sérieuse?!

T'es trop bien pour lui.
Arrête, il est adorable.

Pas vrai Gretchen?
Ja!
Tu vois!

Arrête de demander l'avis de Gretchen!
Ja.

Alors, prêt pour le grand soir?

Non. Je suis stressé. Je tremble. Je sue.

Je serai jamais capable.

Yo. T'as pas le choix, anyway.
Argh.

Courage, c'est l'heure.

POLYVALENTE
ST-JEAN

Désolé, Marie-Soleil, mais je peux pas te laisser entrer si tu t'habilles pas plus que ça.

Pourquoi ? C'est un costume d'Ève, entièrement fait à la main à partir de vraies feuilles. Il est donc 100% écologique.

C'est ta Soeur.
SHIT!

Marie-So, qu'est-ce que tu fous ?!
Bah. Je viens faire la fête.

Je vois pas où est le problème. Mon déguisement est tout à fait acceptable.

Retourne t'habiller à la maison!
NON.

Je suis LIBRE!

RAAAAH!
Arrêtez-la quelqu'un!

SORTIE
Ça commence bien, en tout cas.

Hé Sam!

Ça va?
Oui, toi?

T'as vu ce que ça donne, les décors? C'est chouette, non?
Oui!

T'es jolie, ce soir.
Hi hi, merci.

AH! Je dois te laisser. Je viens de voir ké-vun.

On se recroise plus tard!

4GB

4GB

Salut, Catherine.

Alors, comment tu trouves la soirée?
Pas pire.

Tu m'en veux encore, hein?
Un peu.

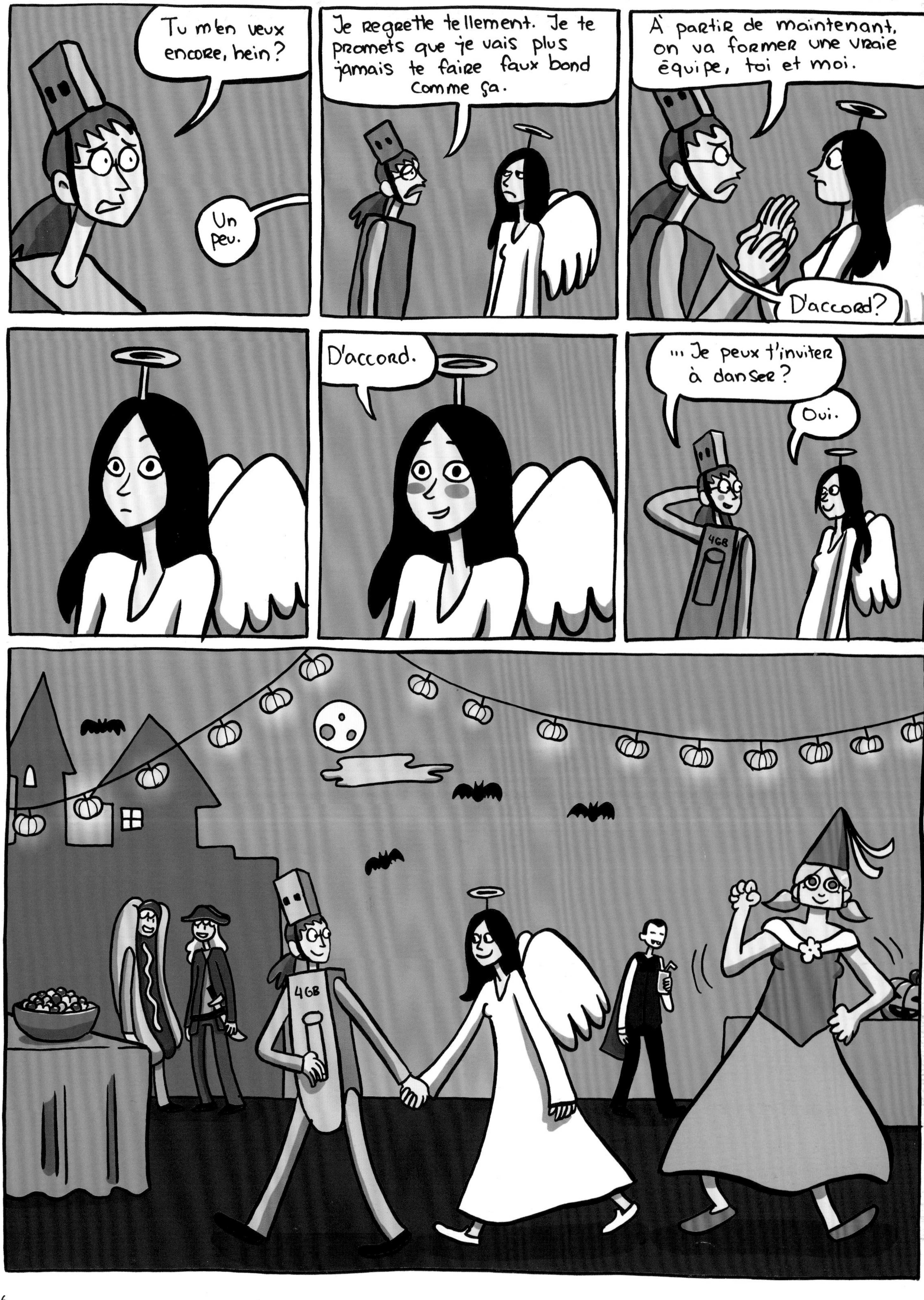

Je regrette tellement. Je te promets que je vais plus jamais te faire faux bond comme ça.

À partir de maintenant, on va former une vraie équipe, toi et moi.
D'accord?

D'accord.

... Je peux t'inviter à danser?
Oui.

Awwww.

Regarde comme c'est cute.

Come on, Sam! Si Nicolas est capable d'avoir une danse avec Catherine, je vois pas pourquoi Annie t'en refuserait une.

T'as raison.

Je vais le faire. Je vais pas me laisser intimider par un maudit douche bag.

Je suis capable!
You go, boy!

Pardon?

Vous auriez pas vu Annie?

Heum, ouais.
Je crois qu'elle est allée vers le local d'informatique.
OK, merci.

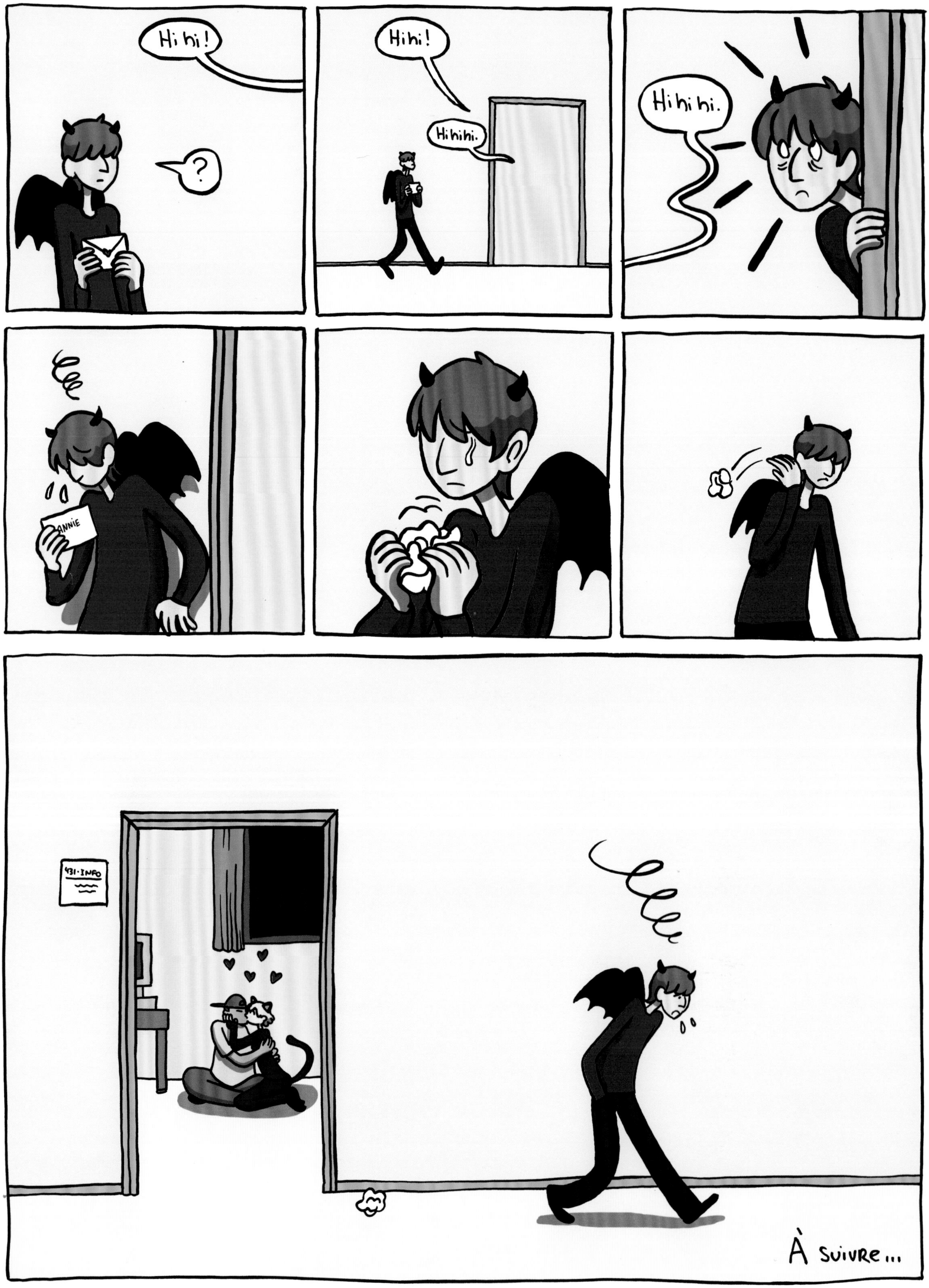

431·INFO

À SUIVRE...